P9-CLO-169
Claude Monet 1905

Jean-Marie Toulgouat, arrière-arrière-beau-fils de Monet, qui nous a parlé de sa famille et nous a montré d'anciennes photos de famille.
Philippe Piguet, lui aussi arrière-arrière-beau-fils de Monet, qui nous a montré des photos de famille et nous a lu des passages des journaux intimes de Blanche et d'Alice.
Madame C. Lindsey du Musée Claude Monet à Giverny qui nous a encouragées dans notre travail.
Michèle Bruel et Cannelle qui ont fait de l'Hôtel Esmeralda un lieu de séjour si agréable.
Et... Bo Akermark, Michel Carrière, Carlo Derkert, Claire Joyes, Denise Moser, Jan Sundfeldt.

Les tableaux de Monet

(Numéros de la page, année et localisation actuelle)

9 1899. Musée d'Orsay, Paris
14 env. 1903. Musée Marmottan, Paris
16 1872. Musée Marmottan, Paris
28 en haut 1899. Musée d'Orsay, Paris
28 en bas 1919. Musée Marmottan, Paris
29 en haut 1899. Musée d'Orsay, Paris
29 en bas env. 1923. Musée Marmottan, Paris
31 1907. Musée d'Art et d'Industrie, Saint-Etienne
38 1916-1926. Musée de l'Orangerie, Paris
43 1873. Musée d'Orsay, Paris
44 1879. Musée d'Orsay, Paris
45 1887. Musée d'Orsay, Paris
49 1897. Museum of Fine Arts, Boston
Page de garde: 1905. Museum of Fine Arts, Boston.

Photos

1ere de couv. Collection Musée Marmottan. Musée d'Orsay.
7 Collection Musée Marmottan, Paris
10 Maria Brännström, Umeå
22-23 Christina Björk, Stockholm
25 Editions d'Art Lys, Versailles
30 Collection Piguet, Paris
32-33 Christina Björk, Stockholm
35 International Museum of Photography, George Eastman House, New York
39 Collection Musée Marmottan, Paris
41 Collection Toulgouat, Giverny
42 Collection Piguet, Paris
44 Collection Toulgouat, Giverny
45 Collection Toulgouat, Giverny
46-47 Collection Toulgouat, Giverny
50-51 Nisse Peterson, Stockholm (qui a aussi photogaphié les feuilles pressées)
4e de couv. Nicolina Anderson, Rotebro

Imprimé en Italie.
Dépôt légal: mars 1987. D. 1987/0053/8
Déposé au Ministère de la Justice, Paris (loi n° 49.956 du 16 juillet 1949 sur les publications destinées à la jeunesse).

Titre de l'édition originale suédoise: Linnea i Målarens Trädgård
publiée par Rabén & Sjögren (Stockholm).

ISBN 9129573025

Traduction française de Louis Yvon Chaballe
ISBN 2-203-12404-0

Texte : Christina Björk
Illustrations : Lena Anderson
Traduction : Louis Y Chaballe

Le jardin de Monet

casterman

Me croirez-vous si je vous dis que je suis allée dans le jardin d'un peintre? Et à Paris s'il vous plaît! Florent m'a accompagnée; c'est lui qui en avait eu l'idée. Mais peut-être devrais-je commencer par le commencement.

J'AIME les fleurs. Je m'intéresse à tout ce qui pousse, c'est dans ma nature. C'est aussi la passion de Florent. Il habite dans le même immeuble que moi. Florent est jardinier, mais aujourd'hui il est retraité et c'est vraiment chouette, car il a ainsi beaucoup de temps à me consacrer. Je crois qu'il connaît pratiquement tout ce que l'on peut savoir sur les plantes.

Dans son appartement, il y a un livre que je regarde souvent. Il parle de CLAUDE MONET, un artiste-peintre français. Lui aussi aimait les fleurs et il a peint de nombreux tableaux sur ce thème. Les plus célèbres sont ses peintures de nénuphars.

Les tableaux de Monet sont reproduits dans le livre de Florent. Celuici contient aussi des photos de Monet, de sa femme Alice et de leurs huit enfants, de leur jardin et de la grande maison rose où ils ont emménagé il y a un peu plus de cent ans. Sous l'impulsion de Monet, le jardin s'est embelli au fil des ans. Il y a planté de plus en plus de fleurs. Puis, il a représenté le jardin dans ses peintures. Il y a même construit un petit étang pour y planter des nénuphars dont il pouvait s'inspirer pour ses toiles.

Le Peintre Claude Monet en 1913.

Je regardais si souvent le livre de Florent que j'avais l'impression de tous les connaître, Monet, Alice et les huit enfants, et d'être déjà allée dans leur maison rose. Ou du moins, je faisais semblant. J'imaginais surtout que je me trouvais sur le petit pont japonais d'où je contemplais les nénuphars. J'en ai parlé à Florent.

— On pourrait certainement s'arranger pour aller sur le pont, me dit-il.

— Oh, il existe encore? lui demandai-je.

— J'ai lu dans le journal qu'on avait collecté des fonds pour restaurer la maison et le jardin qui étaient dans un état de délabrement total et entièrement envahis par la végétation. Aujourd'hui, ils ressemblent exactement à ce qu'ils étaient du temps de Monet et ils ont été transformés en musée. Tout le monde peut aller les visiter.

— Mais Monet et ses enfants n'y habitent plus, n'est-ce pas?

— Non, répondit Florent. Ils sont morts il y a longtemps, tout comme ton arrière-arrière-grand-père et ses enfants.

— Quel âge aurait Monet s'il vivait encore aujourd'hui?

— Voyons, dit Florent, qui se mit à compter sur ses doigts. 145 ans!

— Oui, évidemment! dis-je. Si tu avais cet âge, tu serais mort, bien sûr! Mais le jardin, quand y aller?

— Et pourquoi pas pendant ces vacances! dit Florent

— Formidable!

Monet, Alice et leurs huit enfants.

Le Pont Japonais peint par Monet.

Notre arrivée à Paris

J'ai attendu les vacances encore plus impatiemment que les autres années et enfin je suis allée à Paris avec Florent. (Mais cela m'a coûté toutes mes économies, et même un peu plus.) Nous y sommes allés en août, car Florent pensait que c'est à cette saison-là que les nénuphars sont les plus beaux.

Nous sommes descendus à l'hôtel Esmeralda. Il est vieux et petit, mais, selon Florent, c'est probablement le plus bel hôtel de tout Paris. Il se trouve près de la Seine, le fleuve qui traverse Paris de part en part. Le côté du fleuve où nous logeons s'appelle Rive Gauche.

De ma fenêtre, je peux voir Notre-Dame. C'est l'église la plus célèbre de Paris. Il y a même un livre de Victor Hugo qui s'intitule *Notre-Dame de Paris*. Florent ne l'a pas lu, mais il a vu le film tiré de ce roman. Il parle d'un sonneur absolument monstrueux appelé Quasimodo et de la belle bohémienne Esmeralda. L'hôtel a été baptisé en souvenir d'Esmeralda bien sûr et, dans le hall, on trouve une photo qui la représente en train de danser avec sa petite chèvre Djali.

Il y a aussi un grand canapé rouge où Cannelle, le chien de l'hôtel, s'assied toujours. Les chats, Mona et Lisa, se couchent dans les fauteuils, tandis que Tigre préfère s'asseoir sur l'appui de fenêtre d'où il observe la rue en ronronnant.

Florent a appris que l'hôtel avait été construit en 1640. Cela fait très longtemps. Il doit y avoir un passage secret qui mène de dessous la maison jusqu'au fleuve. Comme vous pouvez le penser, notre chambre est très vieille. Le plancher est irrégulier. Les murs sont en grosses

pierres et des poutres d'époque traversent le plafond, mais le mobilier n'est très probablement qu'à «demi-vieux», peut-être date-t-il de la période de Monet.
Devant l'hôtel se trouve un parc attenant à une petite église nommée Saint-Julien-le-Pauvre. Dans ce petit parc pousse l'un des plus vieux arbres de Paris, en fait le deuxième en âge, un robinier qui s'appuie contre

une colonne de ciment. Il est venu d'Amérique dans un panier et a été planté ici en 1681. Imaginez-vous que, malgré ses 300 ans, il peut encore porter des feuilles vertes bien saines ! Je ne pouvais atteindre ses feuilles, mais j'en ai pris une d'un autre arbre dans le parc et l'ai pressée dans notre journal de voyage.

Il y a beaucoup de choses intéressantes à voir de ma fenêtre. Des bandes de chiens courent souvent dans notre petite rue.

Cannelle les connaît tous. Son petit ami s'appelle Baskerville. C'est le chien de la librairie anglaise au coin de la rue.

Le premier jour, j'ai vu un vieux monsieur très élégant se promener dans la rue. Soudain, deux énormes chiens ont foncé droit sur lui ! J'ai cru qu'il allait tomber. Puis Cannelle est elle aussi sortie en trombe ! Les chiens sautaient et poussaient le pauvre homme autant qu'ils le pouvaient, mais il s'en est très bien sorti et a disparu dans le bas de la rue, suivi par les chiens.

Plus tard, j'ai compris que l'homme était le maître des gros chiens. Il se promenait plusieurs fois par jour et semblait presque prendre plaisir à se faire renverser. Il s'est mis à me dire « bonjour » quand je me trouvais à la fenêtre.

— Fais comme si tu étais l'homme aux chiens, disais-je parfois à Florent. Et il faisait semblant, et je riais tellement que je devais m'asseoir.

Mais venons-en maintenant à la partie la plus importante. Je veux parler de Monet et de ses fleurs.

Nous visitons le musée

Le premier jour de notre séjour à Paris, nous avons pris le métro pour nous rendre dans un musée appelé Marmottan. Il abrite de nombreuses peintures de Monet. Voir ces toiles dans un livre, c'est une chose, mais les voir « en vrai », c'est vraiment autre chose. Maintenant je le sais. Les peintures de Monet exposées à Marmottan appartenaient à son plus jeune fils Michel. A l'âge de 88 ans, il s'est fait écraser près du quai de la Seine et en est mort. Le musée a alors hérité de toutes les toiles, car Michel n'avait pas d'enfant.

La plupart des peintures sont exposées dans les grandes salles du premier sous-sol. Nous avons pu constater que Monet n'avait pas peint que des nénuphars. Au contraire, il a également peint des trains à vapeur, des églises, des montagnes, la mer et aussi des gens. Et des paysages enneigés, mais je ne les aime pas tellement.

— Cette toile, Florent, n'est-elle pas belle? dis-je.

Nous nous trouvions devant une peinture représentant deux nénuphars blancs. Je me suis approchée et j'ai regardé. Alors j'ai remarqué que les nénuphars n'étaient faits que de taches. Puis, je me suis de nouveau éloignée; de loin, ils devenaient

A une certaine distance, les nénuphars ne sont-ils pas magnifiques...

réels, comme des nénuphars blancs flottant sur l'eau. Magique!

— Dis Florent, comment savait-il où mettre la couleur? Il devait se tenir tout près de la toile pour peindre, et donc comment pouvait-il savoir ce que cela donnerait à une certaine distance?

— Laisse-moi voir, répondit Florent.

— Peut-être attachait-il le pinceau à un long manche, dis-je.

— Non, je ne crois pas, déclara Florent. Il peignait depuis si longtemps qu'il pouvait exactement imaginer l'effet donné par les coups de pinceau.

... et ce jeu de taches en gros plan!?

Les impressionnistes

Je n'avais pas encore remarqué cette petite peinture: un port avec des petits bateaux au lever du soleil, le soleil représenté comme une tache rouge-orange.

— Cette peinture est importante dans l'histoire de l'art, me dit Florent. Elle s'appelle «Impression, Soleil levant»: impression, c'est un autre mot pour «suggestion» ou «sensation». La «sensation» de l'eau reflétant le soleil, par exemple. A la vue de cette peinture, les journalistes ont rebaptisé Monet «L'Impressionniste», c'est-à-dire le «peintre des impressions». A ce moment-là, la mode était à la peinture régulière et précise, de préférence avec un peu de gris et aussi des couleurs foncées.

Presque personne n'aimait les peintures de Monet.

«Bâclé, barbouillé, inachevé et quelles couleurs criardes!» disaient les gens. Mais Monet ne s'en préoccupait pas. Il ne voulait pas mélanger de noir avec ses couleurs. Il voulait peindre ses impressions avec des taches de couleurs claires qui semblaient miroiter et scintiller et donnaient l'impression de se mouvoir sur la toile. Monet s'est rendu compte que l'eau n'était pas la seule à chatoyer. Les feuilles des arbres reflétaient aussi la lumière, de même que la peau humaine, les vêtements, et même une maison de pierres.

Mais Monet trouvait l'eau particulièrement agréable à peindre. A un certain moment, elle semble bleue, un peu plus tard elle étincelle de blanc. Voilà les instants que Monet essayait de mettre sur une toile, mais c'était difficile, car ces instants passaient très vite et il en fallait tellement pour peindre une toile.

Tout au long de sa vie, Monet a tenté de peindre l'impression de lumière. Toujours insatisfait, il cherchait sans cesse à mieux la suggérer.

Au premier étage du musée se trouvent des toiles peintes par des amis de Monet. On les appela aussi «Impressionnistes»: Pissarro, Renoir, Sisley et Berthe Morisot.

Berthe était la seule femme du groupe. En ce temps-là, le métier de peintre était assez rare pour une femme. Celle-ci devait plutôt s'occu-

per des artistes et des enfants ou poser comme modèle.
Monet et ses amis étaient pauvres car personne ne voulait acheter leurs toiles. Au musée, nous avons vu une lettre dans laquelle Monet tente d'emprunter de l'argent pour payer de la nourriture, son loyer et ses couleurs. Imaginez-vous qu'aujourd'hui certains paient des dizaines de millions de francs pour une peinture de Monet.
Au musée, on peut acheter « ma » peinture (celle avec les nénuphars blancs) sous forme de poster, mais heureusement ça ne coûte pas aussi cher.
Nous sommes descendus et avons regardé la vraie peinture une nouvelle fois, puis je me suis assise un moment sur le banc en face d'une toile avec un canot.
— Crois-tu que le canot est encore là ? demandai-je à Florent.
— Nous verrons bien demain, répondit-il.

Voyage à Giverny

Tôt le lendemain matin, nous avons pris le métro pour aller à la Gare Saint-Lazare. Le train partait tout juste après 8 heures. J'étais un peu déçue que ce ne soit pas un train à vapeur, comme dans le tableau de la Gare Saint-Lazare peint par Monet.
Le voyage en train n'a duré qu'une heure et nous avons suivi la Seine. Des quais, des bateaux, des appontements et des maisons défilaient sous nos yeux, ainsi que de nombreux saules pleureurs courbés au-dessus des eaux et des arbres bien droits (des peupliers, je pense). Nous sommes descendus dans la petite ville de Vernon. A la gare, on peut louer des vélos et aller ainsi au village de Giverny où se trouve la maison de Monet.

— Avez-vous des sièges de vélos, pour enfants ? demanda Florent.

— Non, monsieur, pas de sièges pour enfants, répondit le chef de gare.

— Mais je peux conduire un vélo, lui dis-je.

— Pas sur ces routes fréquentées, déclara Florent.

— S'il te plaît, Florent...

— Dans quelques années, tu pourras le faire. Mais aujourd'hui, nous allons prendre un taxi.

— Pouah ! Un taxi ! dis-je.

— Mais nous allons d'abord acheter de quoi pique-niquer, déclara Florent.

— Chouette, un pique-nique!
Nous avons tout de suite trouvé une belle boulangerie et nous y avons acheté une baguette. Et il y avait tant de fromages différents à la crémerie! Comment choisir! Finalement, nous nous sommes décidés pour un petit fromage de chèvre et un fromage de vache un peu plus gros (entre nous soit dit, je n'aime pas le fromage de chèvre).
Dans un autre magasin, nous avons demandé du pâté de campagne et des tomates. Nous avons acheté de l'eau minérale, une petite bouteille de cidre pour moi et du vin de table (pour Florent).
Sur la place, nous avons trouvé un taxi qui a traversé le pont enjambant la Seine et a poursuivi sa route le long des quais.
— Florent, regarde! me suis-je écriée. Regarde, on voit la maison rose là-bas en haut!

Nous sommes entrés dans la maison. Florent a payé et a laissé notre casse-croûte à la réceptionniste. J'ai couru en avant dans le jardin. Il est étrange de voir en réalité des choses auxquelles on a longtemps rêvé. Elles sont presque toujours si différentes !

— Dis Florent, cela ne ressemble pas du tout à ce que j'imaginais.

— Ah non? répondit-il surpris.

— Non, parce que je ne pouvais imaginer tout ceci. Je veux dire des fleurs aussi grandes et aussi nombreuses !

Si nous avions vu le jardin d'en haut, il te serait apparu rayé; rayé par les allées et les parterres de fleurs de différentes couleurs. Florent connaissait le nom de presque toutes les fleurs. Dans la rangée bleue, il y avait des fleurs de lin, des jacinthes des bois, des delphiniums et des digitales. Dans la rangée rose, il y avait des pivoines roses (en pleine floraison), des roses trémières et aussi des roses ordinaires. Dans l'allée la plus large, il n'y avait que des capucines avec leurs fleurs rouge-or qui recouvraient presque tout le gravier.

Quelques allées ne présentaient aucun ordre; des fleurs aux couleurs les plus diverses y poussaient. Certaines, assez hautes, étaient courbées sur l'allée. Je pouvais m'accroupir en dessous de tout ce vert, rose et jaune et voir des fleurs dans toutes les directions. Après un certain temps, nous sommes allés jusqu'au pigeonnier, puis vers l'enclos aux dindons. Peut-on imaginer qu'un oiseau puisse avoir une tête aussi étrange qu'un dindon?

Des fleurs de lin minuscules.

Des hortensias.

Des digitales

Des balsamines au pied de l'arbre.

Nous avions bien sûr emporté notre appareil-photo. (J'avais aussi un carnet à dessins.) Il était difficile de décider s'il fallait regarder ou prendre des photos. Le chat nous avait accompagnés.

Hibiscus.

Coquelicots.

Encore les hortensias.

Une rose parmi tant d'autres.

La cuisine de Monet

Une petite armoire à œufs frais.

On nous a autorisés à entrer dans la maison rose et à visiter la chambre de Monet ainsi que l'ancien atelier et la salle à manger. La cuisine bleue est la plus belle. L'une des chaises doit avoir été faite pour les enfants. Je l'ai essayée; mais comment faisaient-ils pour arriver à la table?
On ne nous a pas permis de prendre des photos à l'intérieur, mais il y avait heureusement des cartes postales de toutes les pièces.
Je me suis assise sur les marches de la cuisine. Voici ce que j'ai écrit sur la carte que j'ai envoyée à la maison. «Nous nous reposons un peu et faisons comme si nous étions la famille Monet.» «Le jardin est magnifique, rempli de fleurs. Maintenant, nous allons voir l'étang aux nénuphars. Bisous de Pomme + chat.»

Comment les enfants arrivaient-ils à la table?

Enfin, le pont japonais !

Après avoir vu le jardin et la maison, il nous restait la plus belle partie à visiter : l'étang aux nénuphars. Pour y aller, nous devions aller tout droit jusqu'au fond du jardin et traverser un petit tunnel sous la grand-route.

— Le pont japonais, Florent !

Lorsque nous sommes enfin arrivés sur le pont, je me sentais si bien que j'en ai eu les larmes aux yeux. (Et Florent aussi ; je suis sûre, je l'ai vu.)

— Qu'est-ce que je te disais ? déclara Florent. Nous y sommes !

— Oui, nous y sommes, dis-je, et c'est un moment formidable !

En dessous de nous poussaient des nénuphars — des rouges, des roses, des blancs. Sur le pont même grimpait une plante appelée glycine. J'en ai pris une feuille et je l'ai pressée dans mon carnet à dessins.

— Regarde là-bas, dans les bambous, dit Florent.

Oui, le canot vert y était amarré ! Presque comme sur la peinture du Musée Marmottan.

Les enfants de Monet avaient l'habitude de ramer sur l'étang. Nous avons vu de gros poissons qui nageaient dans l'eau. Florent a dit que c'étaient des carpes. En mangeant les petits animaux et les petites plantes, les carpes aident à maintenir l'étang propre.

— Maintenant, ne regardons plus le pont avant d'avoir vu de l'autre côté de l'étang, dis-je à Florent.

Feuille de glycine provenant du pont.

— Pourquoi ? s'étonna-t-il.
— Eh bien, parce que nous pourrons ainsi saisir chacun notre propre IMPRESSION du pont, exactement comme le faisait Monet.
Mais quand nous y sommes allés, j'ai complètement oublié de garder mon impression — elle a disparu parce qu'un oiseau est passé et qu'un gentil promeneur en veston à carreaux nous a dit « bonjour », et il y avait la roue pour les écluses qui laissent entrer de l'eau fraîche dans l'étang (elle provient de la petite Seine). Non, vraiment, je n'ai pas été capable de « saisir des impressions », et Florent non plus.
Mais Monet s'exerçait à saisir des impressions. Tous les jours, il regardait son pont. Il remarquait qu'il lui apparaissait différemment selon qu'il le voyait le matin ou le soir ou selon que le temps était ensoleillé ou nuageux. C'est la lumière du soleil qui déterminait l'apparence des choses.
Monet a réalisé de nombreuses peintures du pont. Toutes différentes. Il sortait en général plusieurs toiles à la fois et peignait un peu sur chacune d'elles au fur et à mesure que le soleil montait dans le ciel. Les gens le trouvaient bizarre parce qu'il peignait et repeignait sans cesse le même pont.
Devenu plus vieux, Monet eut une maladie des yeux appelée cataracte. A la fin, il voyait à peine; néanmoins, il continuait de peindre bien que ses peintures fussent complètement rouges. Lorsque, finalement, il risqua une opération, il put revoir toutes les autres couleurs.
J'ai pris mon carnet à dessins et j'ai commencé à dessiner l'un des nénu-

Voici comment Monet a pe

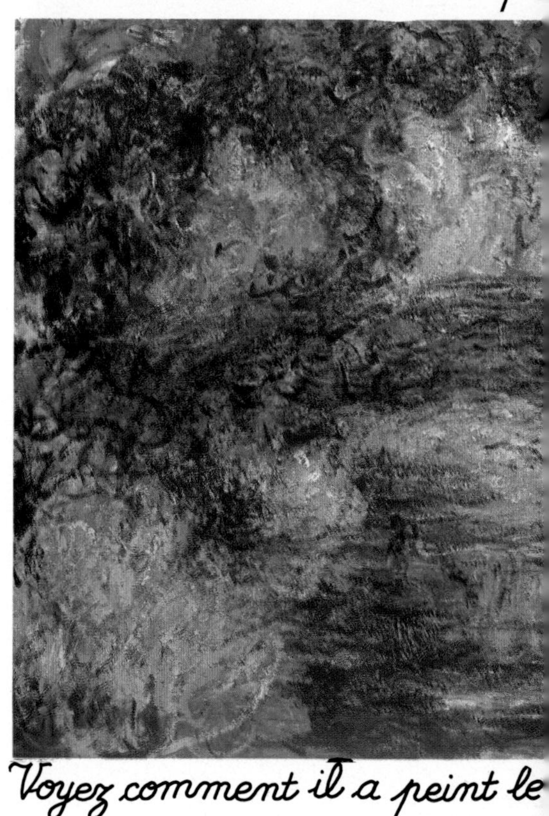

Voyez comment il a peint le

…le pont en 1899.

Ce pont date lui aussi de 1899.

…t en 1919…

…Et voilà ce que cela donne en 1923 alors qu'il voyait à peine.

phars. Il était vraiment trop difficile de dessiner tout l'étang avec les nuages qui se réfléchissaient à la surface en même temps que l'herbe ondulait sous l'eau.
Le nénuphar n'était pas trop mal réussi, mais je n'en étais pas réellement satisfaite. Monet, quant à lui, n'était jamais satisfait. Parfois il était si mécontent qu'il prenait toute une pile de peintures et qu'il les brûlait dans le jardin.
Florent m'a raconté que Monet avait

Blanche, la belle-fille de Monet, l'aidait à porter ses affaires de peinture. La petite fille s'appelle Nitia et est la fille de Germaine, la soeur de Blanche.

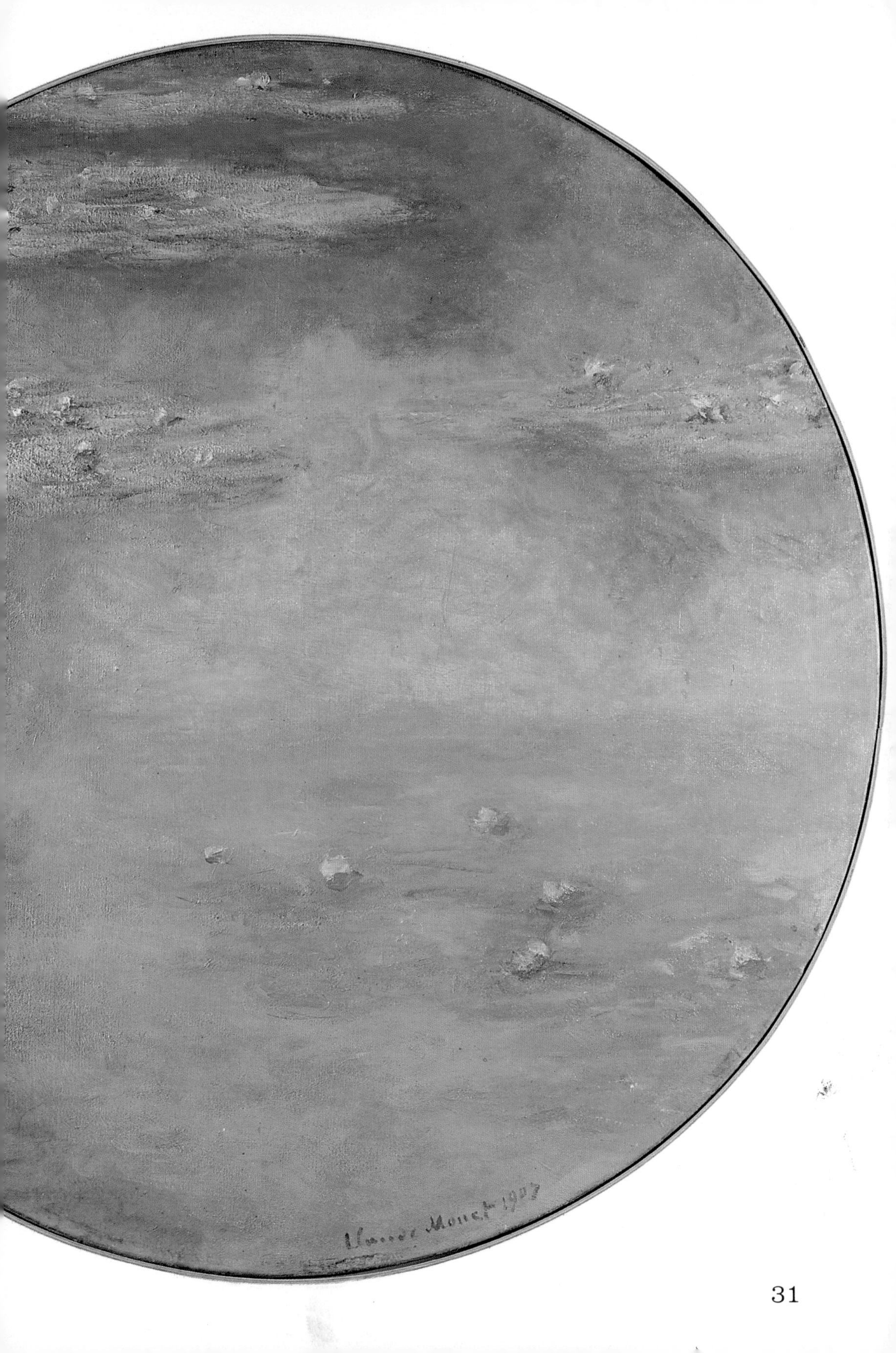
Claude Monet 1907

Il y avait de nombreux petits ponts bleu-vert dans le jardin.

Me croirez-vous si je vous dis que le bateau était encore là !? Est-il le même que sur la peinture ?

acheté la propriété quand il avait 53 ans. Il aurait pu acheter la maison trois ans plus tôt car, enfin, les gens avaient vraiment commencé à aimer et à acheter ses toiles.

J'ai photographié l'étang sous tous les angles. Florent avait peur que je ne tombe dans l'eau en prenant des photos des nénuphars.

Voici comment les nénuphars ont "impressionné" ma pellicule.

Monet vieillit

Juste à l'endroit où les roses grimpantes poussaient pour former une arcade, nous avons reconnu le banc où Monet avait l'habitude de s'asseoir pour contempler son étang à nénuphars. Bien sûr, nous nous y sommes assis. J'ai une photo de Monet à 86 ans, prise à cet endroit. C'était son dernier été.

— Pourrais-tu me parler de Monet quand il était vieux? ai-je demandé à Florent

— Eh bien, c'est alors qu'il a eu sa grande idée, déclara Florent. Il a commencé à peindre les plus grandes toiles qu'il ait jamais réalisées. Elles devaient recouvrir les murs d'une grande salle circulaire, de deux salles même.

Monet dut construire un nouvel atelier pour disposer d'assez de place pour ses peintures. Il y a peint les dix dernières années de sa vie. Quand il eut enfin terminé, il commença à y apporter des changements et à peindre par-dessus parce que, comme à son habitude, il n'était pas content du résultat. Alors son meilleur ami lui a dit: «Maintenant tu dois t'arrêter. Tu ne pourrais que les abîmer.» Aujourd'hui c'est un chef-d'œuvre.

— Pouvons-nous aller le voir?

— Les salles qui contiennent les Nymphéas sont à l'Orangerie, dit Florent. C'étaient les serres du Roi, aujourd'hui c'est un musée. Mais il y a plusieurs années, les salles des Nymphéas ont été fermées pour réparation.

— Dis, j'espère qu'elles sont de nouveau ouvertes.

Pique-nique au bord du petit ru

— Florent, nous avons oublié quelque chose!
— Notre pique-nique! dit-il.
— Je meurs de faim! lui rétorquai-je.
— Ici, tout juste à côté du banc, ce serait un bel endroit pour pique-niquer.
Nous sommes allés à la maison rose pour prendre notre pique-nique, mais il était interdit de pique-niquer dans le jardin. «Sinon les gens laisseraient traîner des ordures et mettraient du désordre», nous déclara la dame au comptoir.
— Nous trouverons sûrement une bonne place en dehors du jardin, déclara Florent.
— Pas aussi bonne que sur le banc, dis-je.
Nous avons en tout cas trouvé un bel endroit à côté du petit cours d'eau, avant qu'il ne pénètre dans le jardin de Monet.
— Quel magnifique repas! dit Florent. Impossible de trouver mieux, n'est-ce pas?
— Si, sur le banc à côté de l'étang, lui répondis-je.

Le fromage de chèvre était mangeable, mais le fromage de vache était meilleur. (Florent pensait le contraire, heureusement pour moi.) Le pâté et le cidre étaient bons eux aussi, tout spécialement avec la baguette.

Après le repas, je me suis allongée dans l'herbe et j'ai regardé les nuages qui passaient dans le ciel.

— Ne t'endors pas, dit Florent. Nous devrons bientôt partir et appeler un taxi pour ne pas manquer le train à Vernon.

Mais dans le train, j'ai dormi pendant tout le trajet jusqu'à Paris. Je n'ai même pas vu un seul méandre de la rivière.

De retour à l'hôtel, je suis directement allée au lit sans même attendre l'homme aux chiens.

Le chef-d'œuvre

Le musée de Paris qui possède le plus de peintures impressionnistes s'appelle le Musée d'Orsay.
Quand nous y sommes allés, une longue file attendait à l'extérieur.
— On ne peut pas rester ici, déclara Florent, cela va durer des heures.
— On peut aller voir si le musée du « chef-d'œuvre » est ouvert, lui dis-je.
J'étais si impatiente que Florent avait peine à me suivre sur le chemin qui menait au jardin des Tuileries qui abrite le pavillon de l'Orangerie.
Nous avons traversé la Seine, deux bateaux-mouches se sont croisés à l'instant où nous sommes passés sur

le Pont Royal. Arrivés dans le jardin, nous en avons apprécié la tranquillité. Il y avait même un bassin circulaire où des enfants faisaient naviguer des petits bateaux.
Le musée était ouvert; une fois l'entrée payée, nous nous sommes dirigés vers la salle des Nymphéas. Quelle chance! Il n'y avait alors personne. Nous avons pu profiter de l'atmosphère sereine de cette pièce. Nous étions au beau milieu du chef-d'œuvre lui-même. Essayez d'imaginer, nous étions entourés de tous côtés par des nénuphars!

Rencontre avec un arrière-arrière-beau-fils

— Demain, c'est notre dernier jour à Paris, déclara Florent.
— C'est passé trop vite! lui dis-je.
— Ben oui! répondit-il. Mais nous allons faire quelque chose de très spécial. On va à la tour Eiffel?
— Bof, peut-être, lui dis-je. Dommage que nous soyons déjà allés à Giverny, sinon nous y aurions été demain.
— Mais nous pouvons faire deux fois la même chose, dit Florent. Si tu préfères!
Il compta l'argent qu'il nous restait. Oui, il y a encore assez pour de nouveaux billets de chemin de fer, un taxi et une entrée. C'est ainsi que, le lendemain, nous nous sommes retrouvés dans le jardin. Nous pouvions le visiter plus calmement et regarder certaines choses de plus près. Alors que nous étions à hauteur du pigeonnier, un monsieur en veston à carreaux passa et nous dit « bonjour ».
— Oh, vous êtes revenus, dit-il.
— Comment le savez-vous? demanda Florent.
— Je reconnais la demoiselle avec son chapeau de paille, dit le monsieur. Devinez qui c'était? Un des arrière-arrière-beaux-fils de Monet! Il s'appelait Jean-Marie Toulgouat et il était peintre lui aussi (mais il a peint des toiles beaucoup plus étranges que celles de Monet, nous a-t-il confié).
Il vivait un peu plus loin dans le village et, quand il était petit, il jouait presque toujours ici dans le jardin.

— Pourriez-vous nous dire à quoi il ressemblait alors, s'il vous plaît? demanda Florent.
— Et nous parler de Monet, d'Alice et des huit enfants? lui demandai-je.
— Monet et Alice sont tous deux décédés avant ma naissance, dit Jean-Marie. La personne qui s'occupait de tout ici était la fille d'Alice, Blanche, la sœur de ma grand-mère. Nous l'appelions Lan-Lan. Tous les enfants aimaient Lan-Lan parce qu'elle était très gentille. Je me souviens de sa surprise lorsqu'elle vit passer une voile à travers le jardin. Ce n'était que moi: j'avais hissé une toile sur le canot à rames et je naviguais sur l'étang.
Jean-Marie nous a aussi montré de vieilles photos de famille.
Mais il est maintenant grand temps que je vous donne quelques explications sur la grande famille de Monet parce que, en fait, ce n'était pas une famille comme les autres.
Certaines de ces explications figurent dans le livre de Florent et Jean-Marie nous en a donné d'autres ici dans le jardin. Tournez la page... l'histoire commence.

La famille de Monet, d'une taille inhabituelle, rassemblée dans le jardin en 1886. Les garçons, Jean-Pierre et Michel, avaient alors huit et neuf ans.

L'histoire de Monet

Monet décida très tôt de devenir artiste, mais sa famille voulait qu'il travaille dans l'épicerie familiale. La seule à soutenir Monet fut sa tante, Madame Lecadre. Elle avait aussi fait de la peinture et lui avait donné un peu d'argent pour qu'il puisse étudier l'art à Paris.
A Paris, Monet se fit de nombreux amis peintres, presque tous plus pauvres les uns que les autres. Sa bien-aimée s'appelait Camille. Elle avait des cheveux foncés et des yeux sombres. Monet l'a souvent peinte. Parfois, il y a quatre, cinq femmes sur la même toile: elles représentent toutes Camille.
Camille et Monet eurent un fils qu'ils nommèrent Jean. Ils se marièrent plus tard (malgré l'opposition du père de Monet).
Parmi les amis, il y en avait toutefois deux qui étaient riches. Ils s'appelaient Alice et Ernest Hoschedé. Ernest possédait des grands magasins chics à Paris et achetait des peintures de Monet pour son petit château qu'il occupait en été.

Monet 1880

Camille et Jean-Pierre (à six ans) en promenade dans un champ de coquelicots. Aucune tache rouge ne ressemble à un coquelicot, mais ensemble elles donnent l'impression d'un champ de coquelicots!

Monet peignit Camille alors qu'elle était morte.

Des peines et des soucis

Subitement, il devint clair qu'Ernest n'avait pas autant d'argent qu'on le croyait. Le grand magasin était en déficit, le château et toutes les toiles durent être vendus. Ernest quitta le pays pour échapper à la honte. Il laissa Alice s'occuper de son mieux de leurs cinq enfants. De plus, elle en attendait un autre!
Alice vendit tous ses bijoux et, pour gagner un peu d'argent, se mit à coudre des vêtements pour ses amis riches. Jean-Pierre naquit dans le train alors qu'Alice s'en allait rendre visite à sa sœur.
Cet été-là, Monet et Camille décidèrent de louer un pavillon d'été avec Alice et les enfants. Camille donna elle aussi naissance à un fils, Michel.
Il y avait alors huit enfants à la maison, mais pas d'argent. Camille et Alice ne possédaient qu'une seule bonne robe qu'elles devaient porter à tour de rôle.
Mais voici maintenant la partie la plus triste de l'histoire. Camille fut atteinte de tuberculose. Après la naissance de Michel, son état empira et elle mourut.
Monet était brisé. Il ne peignait plus; non, il ne pouvait rien faire tellement il était désespéré. Alice devait s'occuper de Monet, des deux bébés et des six autres enfants.
Ils restèrent ensemble plusieurs années dans le pavillon d'été, car ils n'avaient pas les moyens de s'offrir un appartement à Paris.
Monet se remit à peindre. Un jour qu'il avait réussi à vendre quelques toiles, il prit le train à la recherche d'une meilleure maison. Le train passait à Giverny. Là, il vit la maison de ses rêves, la maison rose. Et, vous me croirez si vous le voulez, elle était inoccupée et à louer! Toute la famille y emménagea. Monet commença immédiatement à refaire le jardin, car il était lugubre. Toutes les haies bien taillées firent place à des fleurs. Et il fallait aussi un grand potager pour nourrir tout ce petit monde.
Les enfants pensaient que le jardin était une source d'ennuis: ils devaient le désherber et l'arroser tous les soirs!
Germaine élevait des pigeons dans un pigeonnier et Suzanne

s'occupait des dindes et des dindons. Blanche aimait peindre et elle sortait avec Monet et l'aidait à transporter toutes ses toiles. Au petit jour, par tous les temps, Blanche était prête à l'aider. Les enfants avaient l'habitude de ramer, de pêcher et de nager dans l'Epte. Jean et Jacques capturaient des grenouilles. Un jour, ils en capturèrent soixante (et quand on connaît la saveur des pattes de grenouilles frites...). Jean-Pierre et Michel recueillaient des plantes sauvages et les séchaient. Ils écrivirent même une flore. Ils réussirent à féconder un pavot de Tournefort du jardin avec un pavot sauvage. Une. nouvelle variété de pavot était née. Elle fut baptisée PAPAVER MONETI en latin!

Jean-Pierre et Michel jouaient toujours ensemble.

Germaine, Suzanne et Blanche en train de pêcher dans l'Epte.

Blanche (debout) lors d'un pique-nique. La grande fille à droite est Lili, la mère de Jean-Marie.

Parfois, on patinait sur l'Epte.

Mais, dans le village, les gens disaient que c'était une bien étrange famille, que la peinture n'était pas vraiment un métier. Et emmener toute la famille à l'extérieur pour manger, avec des ombrelles, des paniers et des charrettes ! On n'avait jamais vu ça. Alice ne pouvait pas épouser Monet parce qu'elle était encore mariée à Ernest. Les gens ne divorçaient pas à cette époque.

Quelques années plus tard, Ernest mourut. Alice et Monet le firent enterrer à Giverny. Un an après, ils purent enfin se marier.

Entre-temps, les peintures de Monet étaient devenues célèbres. Les marchands d'art venaient même des États-Unis à Giverny.

Monet était triste de voir ses toiles s'en aller si loin, d'autre part, il avait besoin d'argent car il avait maintenant beaucoup d'invités, un cuisinier et un aide-cuisinier et, le mieux de tout (c'était du moins l'avis des enfants), toute une armée de jardiniers. Quand Monet était content de ses peintures, toute la maisonnée était heureuse. S'il n'était pas satisfait et s'il trouvait le travail difficile, tous se sentaient mal à l'aise. Il fallait s'adapter et se soumettre au tempérament et aux opinions de Monet. Le repas devait être servi à midi pile, même si, en conséquence, les enfants devaient quitter l'école plus tôt.

Les professions des garçons et les petits amis des filles devaient être approuvés par Monet. Michel ne fut jamais autorisé à devenir inventeur, comme il le souhaitait. Et la pauvre Germaine ne put jamais épouser son amoureux. Blanche eut plus de chance, car elle eut l'autorisation d'épouser son demi-frère Jean ! Et Suzanne put se marier avec un artiste américain, Théodore Butler.

Suzanne avait deux petits enfants, Jim et Lili. Mais elle tomba malade

Jean-Marie et le grand-père Butler en train de peindre.

et mourut. Jim et Lili durent déménager chez Monet où la sœur aînée de Suzanne, Marthe, s'occupa d'eux. Après plusieurs années, Théodore et Marthe se marièrent. De nombreuses années plus tard, Alice, la tendre épouse de Monet, mourut, ainsi que son fils Jean. Monet fut une fois de plus désespéré et à nouveau incapable de peindre. Il le resta jusqu'au retour de Blanche à la maison rose qui reprit un peu de vie. Bientôt ils se remirent à peindre, presque comme avant. (Les peintures de Blanche n'ont toutefois jamais acquis la même notoriété que celles de Monet.)
Voilà, telle fut l'histoire de la famille Monet. Mais j'ai encore oublié une chose.
Lorsque Lili fut plus grande, elle eut un fils, Jean-Marie, avec lequel Florent et moi sommes en train *(oui, à l'instant même)* de parler, ici dans le jardin !

— Imagine un peu d'avoir un père aussi connu que Monet, dis-je.
— Et aussi sévère, rétorqua Florent.
— Je pense que ce sont les filles qui se sont le mieux débrouillées, déclara Jean-Marie. Les garçons ont eu la vie plus dure. Pensez à Michel qui ne fut pas autorisé à devenir inventeur. Il était aussi bon en peinture, mais il n'a jamais osé montrer ses toiles à quelqu'un, de son vivant.
Jean-Marie nous a accompagnés jusqu'au petit cimetière du village. Nous y sommes restés longtemps et avons lu tous les noms sur les pierres tombales — Claude, Alice, Ernest, Suzanne, Blanche, Marthe, Michel...

Lever de soleil sur la Seine

Le lendemain matin, nous devions rentrer chez nous. Florent m'a réveillée tôt, à six heures.
— Si tu te lèves, nous aurons le temps de voir une chose de plus, dit-il (oh, le matinal!).
— Non... hein... quoi? répondis-je.
— Un lever de soleil sur la Seine.
— Vas-y, toi, lui dis-je d'en dessous des couvertures.
Mais je suis quand même allée avec lui. Dehors, il faisait brumeux et froid. Nous avons traversé le pont vers l'Ile de la Cité. A l'extrémité ouest de l'île se trouve un saule pleureur. De la vapeur montait de la surface des eaux. Plus loin encore, nous avons pu voir un reflet fugitif de la tour Eiffel.
Juste à ce moment-là, les premiers rayons du soleil nous ont réchauffé le dos.
— Je pense à une certaine peinture, dit Florent. Nous ne l'avons pas vue ici, mais elle est dans le livre...
— Je sais de quelle peinture tu veux parler, lui dis-je. La plus brumeuse des peintures du lever du soleil sur la Seine...

De retour chez nous

Heureusement, on peut encore avoir toute une série d'occupations agréables quand les vacances sont finies. Tout raconter chez soi, par exemple. Et voir ce que donnent les photos.
— Nous avons oublié de photographier l'homme aux chiens, dis-je.
— Mais j'ai une photo de Cannelle, dit Florent.
J'ai montré mon tableau noir à Florent. J'y avais mis des cartes postales et des billets du voyage, une plume de pigeon et la photo de Jean-Marie. Et quelques objets rangés dans une

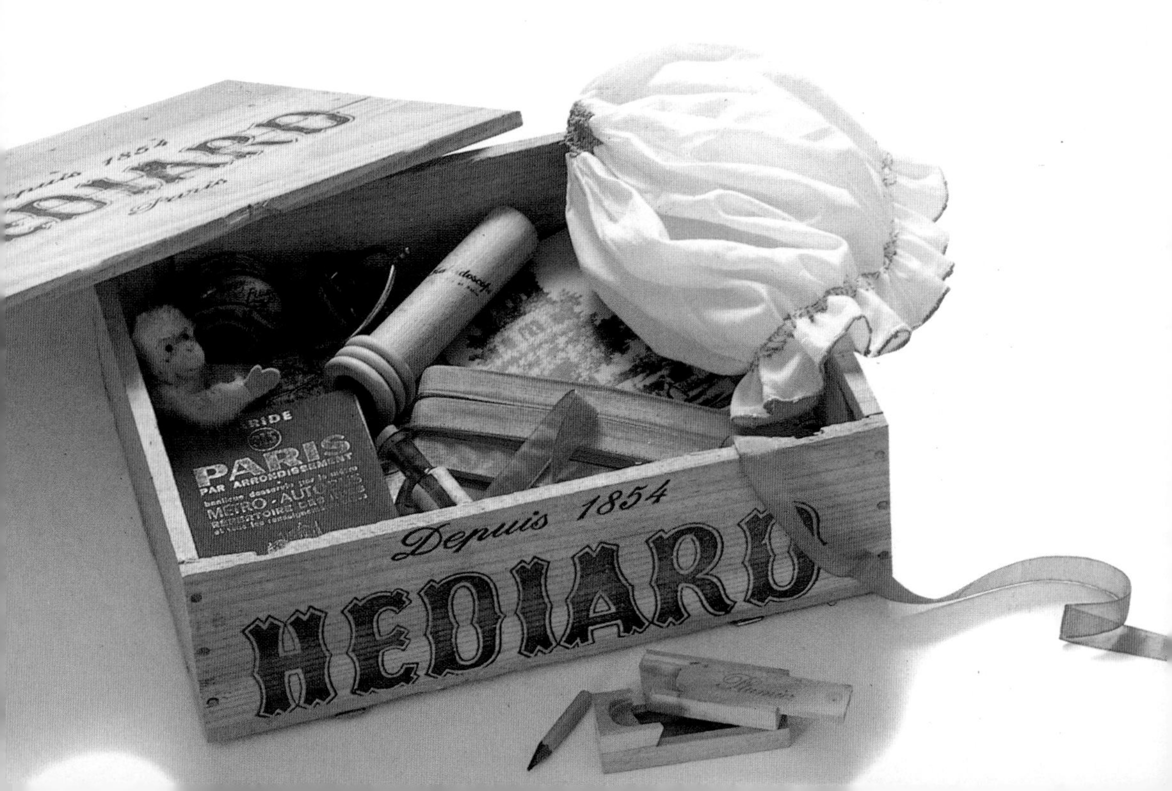

boîte en bois, que j'avais trouvés au marché aux puces de Paris: le petit singe, le bonnet de nuit et 100 mètres de ruban en satin rose. Et le livre rouge des cartes de Paris. Et le plumier de poupée et le kaléidoscope. Maintenant, presque tout le monde sait que je suis allée dans le jardin du peintre. Et à Paris! Mais quand ils me demandent:

— Comment était-ce à la tour Eiffel? je réponds:

— Eh bien, nous avions vraiment des choses beaucoup plus importantes à faire...

Musées

Le **musée Claude Monet** à Giverny est ouvert tous les jours sauf le lundi, du 1er avril au 31 octobre. La maison est ouverte de 9.30 à 12 heures et de 14 à 18 heures et le jardin de 9.30 à 18 heures. Il y a des petits hôtels à Giverny (notamment Les Musardières, 2 étoiles à Giverny) et à Vernon. Il y a aussi des restaurants. Il faut prendre le train de Rouen à la Gare Saint-Lazare (1 heure) à Paris. Descendre à Vernon, louer une bicyclette à la gare (ou prendre le bus ou le taxi). Des panneaux indiquent la route à suivre. En partant de Paris en voiture, il faut emprunter l'autoroute A13 et sortir à Bonnières. C'est à 69 km de Notre-Dame.

Le musée possède également un site Internet : www.fondation-monet.com.

Le **musée Marmottan** à Paris au numéro 2 de la rue Louis-Boilly. Métro La Muette. Il est ouvert tous les jours sauf le lundi de 10 à 18 heures.

Le **musée d'Orsay** à Paris se trouve 1 rue de la Légion d'Honneur. Métro Solférino. Ouvert tous les jours, sauf le lundi de 10 à 18 heures, le jeudi de 10 à 21h45. On y trouve une très bonne librairie avec beaucoup de livres pour enfants

Le **musée de l'Orangerie** dans le parc des Tuileries. Métro Concorde. Ouvert tous les jours de 9.45 à 17 heures sauf le mardi. Salles des Nymphéas de Monet au premier sous-sol. Exposition permanente des impressionnistes au premier étage. Pomme a surtout admiré la peinture qu'a faite Renoir de son fils en costume de clown rouge et Florent la petite peinture de citron de Cézanne.

Dans le **parc des Tuileries**, on peut louer des petits voiliers pour naviguer sur le bassin, monter sur des poneys et manger de la crème glacée, à moins qu'on ne veuille aller à l'Angelines, un élégant café au numéro 226 de la rue de Rivoli, pour y déguster un Chocolat Africaine avec de la crème fouettée. (Florent trouvait que c'était un peu trop épais et un peu trop doux.)

Aventures sur l'Ile de la Cité

Allez à **Notre-Dame** et gravissez les 255 marches (il n'y a pas d'ascenseur) jusqu'à la terrasse de la tour pour avoir une vue générale de Paris. Pomme y a photographié les belles petites statues de démons. Attendez l'aimable guide qui vous montrera où trouver le sonneur de Notre-Dame. Il reste 22 marches à monter pour accéder au clocher. La cloche pèse 13 tonnes (le battant 500 kg) et s'entend à 10 km à la ronde. Il faut huit hommes pour la faire retentir mais, aujourd'hui, ce travail est confié à une machine. Dix personnes (ou plus) peuvent pénétrer dans la cloche et écouter, en prenant quelques précautions, le son de la cloche. Avant de partir, n'oubliez pas de glisser une pièce dans la boîte pour le guide.

Le **marché aux fleurs** à côté de Notre-Dame. Pomme a regardé les

fleurs et en a acheté un bouquet pour décorer sa chambre d'hôtel. Certains jours, il y a aussi un marché d'oiseaux d'appartement.

VERT-GALANT est le nom de la pointe ouest de l'Île. Un magnifique endroit pour se reposer sous un saule pleureur.

Le **parc de Bagatelle** se trouve dans le bois de Boulogne. Il est rempli de roses. Chaque année s'y déroule un concours entre différentes

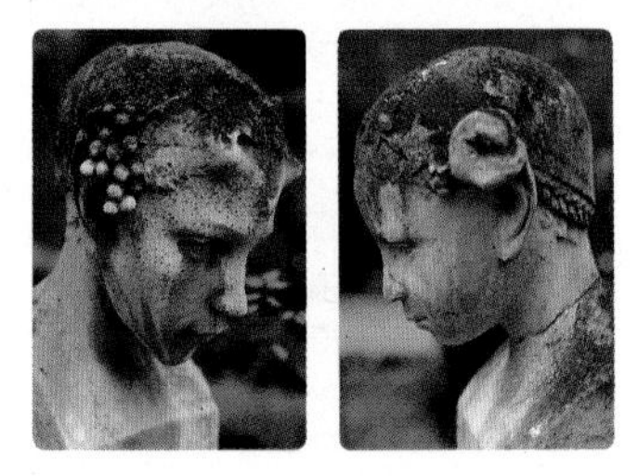

variétés de roses. Quand Pomme y était, c'est le numéro 18 « Meilland » qui a gagné le prix du meilleur parfum. Pomme a pris des photos des sculptures du dieu Pan et de la nymphe Pomone dans le jardin du bas, à droite juste après l'entrée.

Le **marché aux puces**. Pomme y est allée. Prenez le métro à la station appelée Porte de Montreuil. Un marché aux puces plus grand est également organisé Porte de Clignancourt. Ils sont les plus fréquentés les samedis et dimanches matins.

Livres

Notre-Dame de Paris de Victor Hugo.
Une histoire d'aventure classique en deux parties.
Monet, un œil mais bon Dieu quel œil ! S. Patin, coll. Découvertes, éd. Gallimard.
Monet, L. Degand – D. Rouart, éd. Skira.
Monet, Y. Taillandier, éd. Flammarion.
Monet, L. Rossi Bortolatto, éd. Flammarion.
Si tu vas à Paris, M. Lochak – C. Batet, éd. Gautier-Languereau.
Paris, les Petits bleus, éd. Hachette .
Les carnets de cuisine de Monet, C. Joyes, éd. du Chêne.
La maison de Monet, un intérieur impressionniste, H. Michels, éd.

Petite chronologie des événements

1840 Naissance de Monet à Paris le 14 novembre.
1846 Monet déménage au Havre avec ses parents.
1859 Monet se rend à Paris pour étudier l'art.
1867 Monet et Camille Doncieux ont un fils, Jean.
1870 Monet épouse Camille
1877 Ernest Hoschedé se réfugie en Belgique. Naissance de Jean-Pierre.
1878 Monet, Camille, Alice et les enfants louent un pavillon d'été à Vétheuil. Naissance de Michel Monet.
1879 Mort de Camille. Alice s'occupe des huit enfants.
1883 Monet loue la maison de Giverny. La famille y emménage.
1890 Monet a les moyens d'acheter la maison.
1891 Ernest Hoschedé meurt et est enterré à Giverny.
1892 Alice et Monet, de même que Suzanne et Théodore Butler, se marient.
1893 Monet achète ce qu'il faut pour réaliser l'étang aux nénuphars.
1897 Blanche et Jean se marient
1900 Théodore Butler se remarie avec Marthe.
1908 La vue de Monet commence à baisser.
1911 Alice meurt le 19 mai.
1914 Jean meurt. La Première Guerre mondiale éclate.
1916 Le grand atelier est prêt. Monet commence à peindre «Les Nymphéas»
1921 La vue de Monet empire.
1923 Monet se fait opérer de la cataracte.
1926 Les peintures des nymphéas sont terminées. Monet meurt le 5 décembre.

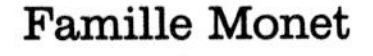

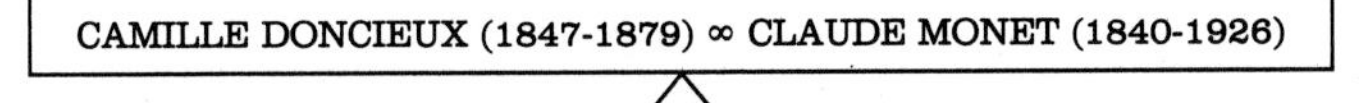

JEAN (1867-1914)
MICHEL (1878-1966)

Famille Hoschedé

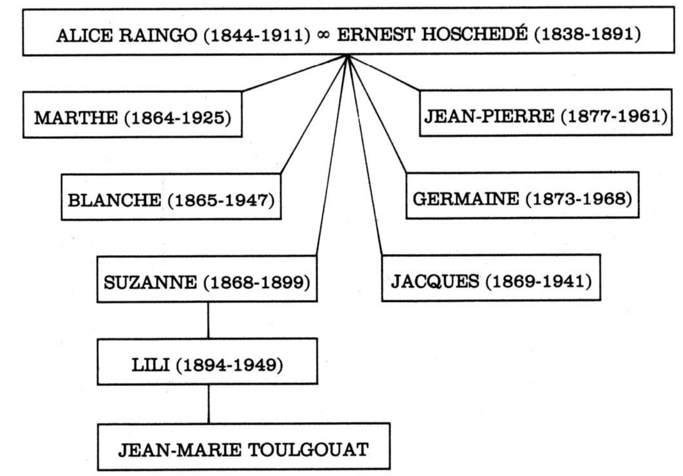